LASELL JUNIOR COLLEGE LIBRARY
P9-ASA-286

LASELL JUNIOR COLLEGE
LIBRARY
AUBURNDALE, MASS.

1. Lorenzo Homar

2. Manuel Hernández Acevedo

PUERTO RICO
LA NUEVA VIDA
THE NEW LIFE

EDITED BY

Nina Kaiden, Pedro Juan Soto
and Andrew Vladimir

Renaissance Editions, New York

LIBRARY OF CONGRESS CATALOGUE CARD NUMBER: 65-29178
FIRST EDITION
MANUFACTURED IN THE UNITED STATES OF AMERICA FOR
RENAISSANCE EDITIONS.
COLOR AND BLACK & WHITE PHOTOGRAPHY BY ROBERTO ĨÑESTA

A

LOS ARTISTAS, ESCRITORES Y POETAS

DE PUERTO RICO

QUE HAN LANZADO A LA AVENTURA DE

DESCUBRIRSE A SÍ MISMOS

TO

THE ARTISTS, WRITERS AND POETS

OF PUERTO RICO

WHO ARE EMBARKED ON THE ADVENTURE OF

SELF-DISCOVERY

Puerto Rico: La Nueva Vida/The New Life

NOTA DEL EDITOR

Este libro extraordinario proclama el vigoroso surgimiento cultural de Puerto Rico. En él están reunidas por la primera vez obras representativas de los más destacados artistas de Puerto Rico, cuyos diversos estilos y formas de expresión reflejan la generosa vitalidad y la multiplicidad de su isla natal. La edición de este libro ha sido posible, muy afortunadamente, gracias a la Housing Investment Corporation, una institución bancaria hipotecaria de Puerto Rico que ha representado un papel importante en el desarrollo moderno de la Isla.

Siguiendo las recomendaciones de un comité de distinguidos ciudadanos de San Juan prominentes en el mundo de las artes, la Housing Investment Corporation ha adquirido muchas de las obras que se reproducen en este libro, tomando como único criterio la estatura artística de sus autores. Ni en los cuadros ni en el texto que los acompaña ha escogido la firma auspiciadora el tema principal, pues éste es de la sola pertenencia del artista. El libro pone así de relieve exactamente los pensamientos, los sentimientos y las aspiraciones de los artistas de Puerto Rico. La colección será exhibida en la Universidad de Puerto Rico a fines del otoño de 1965 y, subsiguientemente, en Nueva York y en Boston. Finalmente, será expuesta al público en el edificio de la Housing Investment Corporation, en San Juan.

La firma editora se complace en darle las gracias a la Junta de Directores de la Housing Investment Corporation, por haber ordenado esta importante obra cultural. Gracias especiales deben darse también a Domingo García, uno de los prominentes artistas de Puerto Rico, cuyas obras están bien representadas en este volumen, por lograr la cooperación de los artistas y escritores de Puerto Rico y por brindar sus valiosos consejos a los editores. Otras personas a quienes deben extenderse gracias por su atención a varios aspectos del libro son Ricardo Alegeria, Ketty Rodríguez, Tim Lucas y Georgina Pando. Además, fueron numerosas las sugerencias que se recibieron de amigos en el Gobierno y en la Universidad de Puerto Rico, las que resultaron inestimables.

PUBLISHER'S NOTE

This unique book heralds the vigorous cultural emergence of Puerto Rico. Here assembled for the first time are representative works of Puerto Rico's most significant artists, whose varying styles and modes of expression reflect the rich vitality and diversity of their island homeland. Appropriately enough, this book has been made possible by Housing Investment Corporation, a mortgage banking institution in Puerto Rico that has played an important role in the island's modern development.

Acting on the recommendations of a committee of distinguished San Juan citizens prominent in the arts, Housing Investment Corporation has acquired many of the works reproduced in this book, taking as its sole criterion the stature of each artist. Neither in the pictures nor in the accompanying text has the sponsor chosen the subject matter; this is the province of the artist. The book therefore reveals accurately the thoughts, feelings and aspirations of the artist in Puerto Rico. The collection will be placed on display at the University of Puerto Rico in the late Fall of 1965, and will subsequently be shown in New York and Boston. Ultimately, it will be displayed on the premises of Housing Investment Corporation in San Juan.

The publishers wish to thank the Board of Directors of Housing Investment Corporation, for commissioning this important cultural project. Special thanks are also due to Domingo García, one of Puerto Rico's leading artists, whose work is well represented in the volume, for enlisting the cooperation of the artists and writers of Puerto Rico, and for offering valuable counsel to the editors. Others to whom thanks are extended for handling various aspects of the book include Ricardo Alegeria, Ketty Rodríguez, Tim Lucas, and Georgina Pando. In addition, there were numerous suggestions that proved invaluable from friends in the government and at the University of Puerto Rico.

3. José Campeche y Jordán

Foreword

Las artes plásticas constituyen una de las expresiones más significativas y valiosas de la cultura de los pueblos. Dejando a un lado las piezas de arte aborigen y las obras de arte que desde los principios del siglo XVI importaron a la isla los conquistadores españoles, en Puerto Rico las primeras manifestaciones de las artes plásticas que se conocen se sitúan en el siglo XVIII, en el taller de la familia Campeche, en San Juan. De este taller de doradores y pintores habrá de salir José Campeche (1752-1809), quien habrá de ser el pintor de la sociedad colonial de San Juan y cuya fama como artista traspasaría nuestras fronteras. Poco más de un siglo después, otro puertorriqueño, Francisco Oller (1833-1917) habría de alcanzar fama en Francia, donde llega a ser el primer pintor del mundo hispánico en adoptar las técnicas del impresionismo. El medio ambiente del Puerto Rico de entonces no favoreció mucho, sin embargo, a estas dos grandes figuras de nuestro arte; se les impuso condiciones que afectaron y limitaron su obra artística.

Las circunstancias del país han cambiado grandemente desde entonces y en las tres últimas décadas de este siglo hemos visto surgir y crecer un grupo de artistas notables que, tanto en el campo de la pintura como en el del grabado, realizan una significativa contribución al enriquecimiento de nuestra cultura. Estos artistas—en su gran parte jóvenes—se han formado en Puerto Rico, pero también han estudiado en los más importantes centros de arte de Europa, Estados Unidos e Hispanoamérica, y se han mantenido atentos a las corrientes artísticas del mundo, como lo reflejan sus propias producciones de arte. Son obras de algunos de estos jóvenes artistas las que hoy reúne la Housing Investment Corporation en esta valiosa colección que titula "Puerto Rico—La Nueva Vida". La colección, sin pretender incluir a todos nuestros artistas, refleja sin embargo el auge que, junto con todas las demás manifestaciones de la cultura, experimentan en Puerto Rico las artes plásticas. El hecho de que esta misma Corporación auspicie la publicación de este libro ilustrativo de dicha colección, libro que incluye textos de algunos de los más destacados escritores de Puerto Rico, imparte a esta actividad mayor importancia aún como medio de divulgación de la cultura nacional de Puerto Rico en el extranjero.

A nombre del Instituto de Cultura Puertorriqueña, deseo expresar nuestro más sincero reconocimiento a la Housing Investment Corporation por esta importantísima iniciativa. Estamos seguros de que la misma servirá de ejemplo para que otras importantes corporaciones financieras, industriales y comerciales establecidas en el país imiten en el propósito de contribuir eficazmente al enriquecimiento cultural de Puerto Rico.

Ricardo E. Alegría,
Director Ejecutivo
Instituto de Cultura Puertorriqueña

Foreword

The plastic arts constitute one of the most significant and valuable expressions of the culture of a people. Aside from primitive works and works of art imported by the Spanish conquistadors since the beginning of the 16th Century, the first examples of native plastic arts came from the workshop of the Campeche family of San Juan in the 18th Century.

José Campeche (1752-1809) became well-known as a painter of colonial society in San Juan and his fame as an artist soon spread beyond the island. Little more than a century afterwards, another Puerto Rican, Francisco Oller, achieved fame in France as the first painter of the Hispanic world to adopt the techniques of impressionism. The environment of their own country, however, did not appear favorable to these two great figures and it imposed on them conditions which affected and limited their work.

The circumstances in Puerto Rico have changed greatly since the days of Campeche and Oller. In the last three decades of this century, we have seen a group of notable artists emerge and mature. These artists have developed in Puerto Rico but they have also studied in the most important art centers in Europe, the United States, and Latin America, and they have remained in contact with the artistic currents of the world.

It is the works of some of these young artists which have been brought together by Housing Investment Corporation in this valuable collection entitled "Puerto Rico—The New Life".

The collection, which does not pretend to be all-inclusive, nevertheless reflects the importance of the plastic arts in Puerto Rico today, along with other manifestations of our culture.

The fact that Housing Investment Corporation is sponsoring an illustrated book based on the collection, which also includes excerpts of the work of the better known Puerto Rican writers, makes this project even more important as a method of explaining the culture of Puerto Rico in other countries.

In the name of the Institute of Culture, we wish to express our recognition of the initiative of Housing Investment Corporation. We are confident that this project will encourage other important financial corporations, and industrial and commercial establishments in Puerto Rico to take similar steps to contribute effectively to the cultural enrichment of Puerto Rico.

Ricardo E. Alegría,
Executive Director,
Institute of Puerto Rican Culture

4. Francisco Oller

Puerto Rico: La Nueva Vida/The New Life

5. Manuel Hernández Acevedo

6. Carlos Osorio

Duerme, mi niño grande; duerme, mi niño fuerte:
que el juego del amor rinde como la muerte.

Alas le dé a tu sueño el éter de las quimeras
que ha dejado en tu rostro tan dolientes ojeras.
Calma le dé a tu sueño el mar de los sentidos
que ha dejado tus brazos tan largos y tendidos.

Duerme, mi niño grande; duerme, mi niño fuerte:
que el juego del amor rinde como la muerte . . .

CLARA LAIR 1893
(De *Lullaby Mayor*)

Sleep away, my grown infant; sleep away, mighty lad:
the game of love the same as death makes one collapse.

May your dreams earn loftiness from the fancy haze
which such mournful lines has set upon your face.
May your dreams earn peace from the sensual surf
which has left your arms so worn, so in lack of breadth.

Sleep away, my grown infant; sleep away, mighty lad:
the game of love the same as death makes one collapse . . .

CLARA LAIR 1893
(From *Lullaby*)

7. Tufiño

Monsona Quintana es una jíbara estracijada de mi tierra que ha parido diecisiete veces; tiene la barriga tan dilatada que ya su marido nunca sabe cuando su mujer está embarazada. La maternidad se ha tragado la juventud de la jíbara, que una vez tuvo colores de camándula y pechos de tórtola dormilona. Ahora sólo queda una mai imaginera, agotada de tanto cargar la quebrada hasta la casa, sin más cintas que los pequeños cintajos que siempre lleva colgados en el alma una mai jíbara de mi tierra. Esta vez el cielo ha querido hacer un escarmiento en el bohío de Monsona Quintana. El último hijo le ha nacido tan raquítico, que es casi una sobraja de hijo.

EMILIO S. BELAVAL 1903

(De *El Niño Morado de Monsona Quintana*)

Monsona Quintana is an emaciated countrywoman of my land who has given birth seventeen times; her belly is so stretched that her husband can no longer tell when she is pregnant. Childbearing has devoured the youth of this countrygirl who once had the color of *camándula* seeds and breasts of a sleepy turtledove. Now she is only a dreaming mother, exhausted from so much carrying from the creek to the house, bare of ribbons other than the tawdry shreds which, in my land, are suspended in a mother's soul. This time heaven has wanted to inflict punishment in Monsona Quintana's hut. The newborn is so sickly that he is almost a leftover child.

EMILIO S. BELAVAL 1903

(From *Monsona Quintana's Purple Child*,
translated by Patricia Vallés)

8. Myrna Baez

Cuando se incorporó le sonó un menudo que tenía en el bolsillo. Gino, al escuchar el tintinar, sonrío maliciosamente y miró a su padre de soslayo. Al mirar así, sus pequeños ojos adquirían forma de almendritas y los ponía casi totalmente en blanco, lo cual les hacía resaltar contra el fondo oscuro de su tez. El padre, cuando así lo veía, no podía contenerse; en esos momentos abría por completo el cauce a su reprimido torrente de cariño. Atrajo a su negrito contra sí y murmuró: «Pillo», a la vez que lo besaba tiernamente. Luego, puso en su blanda y oscura manita una moneda. Se alejó, entonces, a buscar la comprita de Nochebuena.

SALVADOR M. DE JESÚS
(*The Sun Juan Review*, August, 1964)

When he stood up, some change jingled in his pocket. Gino, hearing the clinking, smiled maliciously and looked at his father out of the corners of his eyes. When he looked that way, his little eyes took the shape of small almonds and became almost totally white, so that they stood out even more against the dark of his skin. The father, when he saw him that way, could not contain himself, and a repressed torrent of love flowed forth from him. He drew his little son against him and whispered "Thief," at the same time kissing him tenderly. Then he put a coin in his soft, dark little hand. He went away then, to do his bit of shopping for Christmas Eve.

SALVADOR M. DE JESÚS
(Translation by author)

El hombre se incorporó sobre los codos. Miró a la mujer que dormía a su lado y la sacudió flojamente por un brazo. La mujer despertó sobresaltada, mirando al hombre con ojos de susto. El hombre se rio. Todas las mañanas era igual: la mujer despertaba con aquella cara de susto que a él le provocaba una gracia sin maldad. La primera vez que él le vio aquella cara de susto a la mujer no fue en un despertar, sino la noche que se acostaron juntos por primera vez. Quizá por eso a él le provocaba gracia verla salir así del sueño todas las mañanas.

El hombre se sentó sobre los sacos vacíos.

—Bueno —se dirigió entonces a ella—. Cuela el café.

La mujer tardó un poco en contestar:

—No queda.

—¿Ah?

—No queda. Se acabó ayer.

El casi empezó a decir: "¿Y por qué no compraste más?", pero se interrumpió cuando vio que la mujer empezaba a poner aquella otra cara, la cara que a él no le hacía gracia y que ella sólo ponía cuando él la hacía preguntas como ésa. La primera vez que él le vio aquella cara a la mujer fue la noche que regresó a la casa borracho y deseoso de ella y se le fue encima, pero la borrachera no le dejó hacer nada. Quizá por eso a él no le gustaba verle aquella cara a la mujer.

José Luis González 1926

(De *En el Fondo del Caño Hay un Negrito*)

The man raised himself on his elbows. He looked at the woman who slept beside him and shook her lazily by one arm. The woman woke up startled, looking at the man with fear in her eyes. The man laughed. Every morning it was the same: the woman woke up with that frightened face which made him want to laugh, but without malice. The first time he'd seen that frightened face on the woman was the night they had lain together for the first time. Perhaps this was why it seemed attractive to him to see her come up out of sleep like that every morning.

The man sat upright on the empty sacks.

"Good," he said to her then. "Make the coffee."

"There's none left."

"Oh?"

"No, there's none left. It ran out yesterday."

The man started to ask: "Why didn't you buy more?" but stopped himself when he saw that the woman was beginning to make that other face, a face that did not please him, the one she put on only when he asked questions like that. The first time he had seen that particular look on the woman's face was the night he'd come home drunk, wanting her, and got on top of her, but the drunkenness kept him from doing anything. Perhaps for that reason it did not please him to see that face on the woman.

JOSÉ LUIS GONZÁLEZ 1926

(From *There's a Little Colored Boy in the Bottom of the Water*, translated by Lysander Kemp)

9. Tufiño

Los meses corrían y el reparto de tierras no se llevaba a cabo. Una nueva plaga se cernía sobre el barrio: los comisionados para la emigración a las islas Hawai. Felipe Rojas había afiliado en menos de una semana a más de quinientos trabajadores agrícolas, que a peso de oro por cabeza daban igual cantidad de dólares a sus bolsillos de patriota intachable, de aquellos que no habían claudicado nunca frente a la tiranía española.

Ahora, a fuerza de tanto blasonar de americano, se olvidaba de que era puertorriqueño. Hablaba el extraño idoma lo suficiente para hacerse entender de los libertadores, aunque no faltaban personas que ponderaran sus conocimientos del inglés, teniéndolo como el mejor y más fiel intérprete de todos los bilingües que se dedicaban al oficio en aquella época.

Se deshabitaban los campos. Era una ola humana la que corría hacia Ponce a llenar los vientres de hierro de los transportes, que, anclados en la bahía, como si fueran colosales sepulcros flotantes, recibían su cargamento de puertorriqueños en aquel tráfico sin nombre.

RAMÓN JULIA MARIN 1878-1917

(De *Tierra Adentro*)

Months went by and still the land distribution was not put into effect. Over the *barrio* hovered another calamity: the men in charge of shipping field laborers to Hawaii. In less than a week, Felipe Rojas had signed up more than five hundred farm workers, who, at the rate of one gold *peso* per head, represented just as many dollars for him, an upright patriot—one who had never given in to Spanish tyranny.

Now, from so much talk about his being an American, he had forgotten his Puerto Rican nature. Of the new language he had learned just enough to make himself understood by the liberators, even though some people maintained that his knowledge of English was excellent and that he thus was the best interpreter among all the bilingual persons who at that time practiced the profession.

The fields were becoming deserted. A human wave swept toward Ponce to fill the iron bellies of the transports, which, anchored in the bay, received like colossal floating coffins their load of Puerto Ricans in that shameful traffic.

RAMÓN JULIA MARIN 1878-1917

(From *In the Hinterland*)

10. Rafael Ferrer

Pensó en su isla, en las huestes que entraron por las costas de Guánica, de Arroyo y de Fajardo. . . . Derribaron la puerta. Eran ellos, el General Miles y los suyos. Todos estaban allí frente a su Salón Boricua, y el pueblo completo con ellos. Sus vecinos, Pantoja, Valderrama, Araújo y las legiones de agentes secretos. Y arremetió contra ellos como si aún tuviera fuerzas.

El aire se fue espesando con el humo de las bombas lacrimógenas. Las últimas balas lo alcanzaron cerca del pecho.

—¡Carajo!, no me encontrarán en el suelo—y se irguió con las fuerzas de su espíritu, que ya mal podía hacerlo con las de su cuerpo.

Apoyado contra el sillón se fue enderezando mientras se repetía por dentro las palabras: *¡No me encontrarán en el suelo!* La sangre le bajaba, espesa, por la frente, por las sienes. De un golpe final la puerta cedió ante el empuje de los hachazos y Santiago quedó frente a su pueblo; una fuerza potente en su espíritu lo mantenía erguido. Dio unos pasos, caminó hacia ellos y el gentío se hizo a un lado. Entre la sangre que manaba por sus ojos pudo ver el rostro de la muchedumbre. Creyó entonces que entraba en las prisiones cruzando frente a las hileras de celdas. *Las rejas, las rejas otra vez, mi pueblo.* No le dolían las perforaciones de las balas; otro dolor más profundo lo alcanzó donde no llegaban las balas. Le dolía su gente, la mirada vacía de su pueblo.

EDWIN FIGUEROA 1925

(De *Salón Boricua*)

He thought of his island, of the armies that entered through the coasts of Guánica, Arroyo and Fajardo. . . . They knocked the door down. There they were, General Miles and his men. They were all there, in front of his *Salón Boricua,* and all his countrymen with them. His neighbors, Pantoja, Valderrama, Araújo, and the legions of secret agents. He went at them as if he still had strength.

The air began to thicken with the smoke of teargas bombs. The last bullets caught him near his chest.

"*Carajo!* They won't find me on the ground!" And he lifted himself up with his strength of spirit, for that of his body was hardly enough.

Leaning on the chair, he began to straighten up while saying the words over and over to himself. "They won't find me on the ground!" Blood ran thick from his forehead, from his temples. A final blow made the door give way under the hatchets and Santiago stood before his people; a mighty strength of spirit kept him erect. He took a few steps, going toward them, and the crowd moved aside. Through the blood which flowed over his eyes he managed to see the faces in the crowd. Then he believed that he was entering prison, walking between rows of cells. "Bars, bars again, my people!" The shots didn't hurt; a deeper pain caught him where bullets did not reach. He hurt for his people, for the empty looks of his people.

EDWIN FIGUEROA 1925

(From *Salón Boricua,* translated by
Patricia Vallés)

11. A. Martorell

Hijo, lucero, la noche, bóveda de nuestra soledad,
alumbrada de tristezas,
me ha cosido para siempre en la cara
la hora en que comenzó ella,
como una llegada de sombras amargas,
a irse, inevitable, dura, cerrada,
de nuestra llena y viva presencia.

Y ahora, cuando no nos queda
más nada que la distancia brillante,
solitarios los dos,
juntos en la sangre de la misma noche,
nos hemos vuelto a mirar
sin pensar que ella volcó en los ojos
el negro hechizo de su extraña imagen.

Hijo, lucero, estamos solos,
tan solos como una vacía casa grande.

HUGO MARGENAT 1934-1957

(De *Silencio*)

Son, evening star, the night, vault of our lonesomeness,
fully lit by sorrows,
has sewn forever on my face
the hour in which she commenced,
like an arrival of bitter shadows,
to depart, unavoidable, hard, concealed,
from our full and living presence.

And now, when we have nothing
more left than the glowing distance,
lonesome the two of us,
coupled in the blood of one night,
we have looked again at each other
without realizing that in our eyes she poured
the black sorcery of her strange self.

Son, evening star, lonesome we stand,
as lonesome as an empty house so big.

HUGO MARGENAT 1934-1957

(From *Silence*)

12. Myrna Baez

LA CARPA DEL CIRCO

La carpa del circo tiene
centavos de luz prendidos
en el techo y en los lados.

Cielo de los niños pobres
que miran por las estrellas
lo que otros ven desde adentro.

La carpa del circo tiene
lástima de aquellos niños
que no pueden comprar
boleto de entrada.

La carpa del circo ríe
cuando los niños del pueblo
se sorben por las rendijas
la alegría de su entraña.

CARMEN ALICIA CADILLA

THE CIRCUS' TENT

The circus' tent has
pennies of light pinned
to the roof and the sides.

Heaven of the poor children
that see, through the stars,
what the others see from inside.

The circus' tent has
compassion for those children
who are not able
to buy a ticket of admission.

The circus' tent laughs
when the children of the town
absorb, through the crevices,
the happiness of her entrail.

CARMEN ALICIA CADILLA

(Translation by Georgina Pando)

OJOS ASTRALES

Si Dios un día
cegara toda fuente de luz,
el universo se alumbraría
con esos ojos que tienes tú.
Pero, si lleno de agrios enojos
por tal blasfemia, tus lindos ojos
Dios te arrancase,
para que el mundo con la alborada
de tus pupilas no se alumbrase,
aunque quisiera, Dios no podría
tender la noche sobre la nada . . .
¡¡Porque aún el mundo se alumbraría
con el recuerdo de tu mirada!!

José P. H. Hernández 1892-1922

STARRY EYES

If the Lord were one day
to blind each source of light,
in a glow the universe would remain
with those your eyes.
But if bitterly provoked
by such a blasphemy, the Lord should pluck
away your sight in full,
so that the world at once
gained not the dawn of eyes so graceful,
for all he tried the Lord would fail
over the voidness the night to enhance . . .
for yet the earth would light her day
with but the memory of your glance!

José P. H. Hernández 1892-1922

VIDA CRIOLLA

Ay, que lindo es mi bohío,
y que alegre mi palmar,
y que fresco el platanar
de la orillita del río.

Qué sabroso tener frío
y un buen cigarro encender.
Qué dicha, no conocer
de letras ni astronomía.
Y qué buena hembra la mía
cuando se deja querer.

LUIS LLORENS TORRES

VIDA CRIOLLA

Oh, how beautiful my hut
and how gay my palm trees
and how fresh the plantain trees
on the edge of the river.

How delightful to be chilly
and to light a good cigar
and what luck not to know
of letters nor astronomy
and what a good woman is mine
when she lets herself be loved.

LUIS LLORENS TORRES

Antilla: vaho pastoso
De templa recién cuajada.
Trajín de ingenio cañero.
Baño turco de melaza.
Aristocracia de dril
Donde la vida resbala
Sobre frases de natilla
Y suculentas metáforas.
Estilización de costa
A cargo de entecas palmas.
Idioma blando y chorreoso
—Mamey, cacao, guanábana—.
En negrito y cocotero
Babbit turista te atrapa;
Tartarín sensual te sueña
En tu loro y tu mulata;
Sólo a veces Don Quijote,
Por chiflado y musaraña,
De tu maritornería
Construye una dulcineada.

Cuba—ñáñigo y bachata—.
Haití—vodú y calabaza—.
Puerto Rico—burundanga—.

LUIS PALES MATOS 1899-1959
(De *Canción Festiva para ser Llorada*)

Antille, sticky fume
Of a character just jelled.
Hustle of sugar enterprise.
A molasses Turkish bath.
Aristocracy in drill attired
Where life usually skids
Over phrases made of custard
And wholesome metaphors.
Seacoast that displays a style
Carried out by sickly palms.
Supple language ever oozing—
Mamey, cacao, guanábana.
In little boy black and coconut tree
Touristy Babbit sets you up good;
Sensual Tartarin stirs his fancy
On your parakeet and your mulatto girl;
Only once in a while Don Quixote,
Wool-gathering and given to imagining,
Out of your mannish-wench looks
Construes a maiden illusion.

Cuba—religious clan and frolic.
Haiti—calabash and voodoo.
Puerto Rico—burundanga.

Luis Pales Matos 1899-1959
(From *Merry Song for Tears*)

La invasión es como una losa pesada cayendo sobre los pueblos. Son pueblos indefensos, sorprendidos, los cuales permanecen llenos de estupor; pero el populacho abigarrado ha batido palmas, ríe y baila al toque de un nuevo son que le hace feliz.

Ha caído el pueblo de Yauco. Cayó también, durante la madrugada, la ciudad de Ponce, señorial y española. Se ven calesas locas en marcha del pueblo a la Playa y de la Playa al pueblo, en un carnaval mañanero, de alegría sin muros. Cayó Juana Díaz sin que sonara un tiro.

Tropas, tropas de hombres extraños, con trajes azules. Cornetas que hunden sus notas amarillas, cual estiletes, en el vientre del aire matinal. Banderas que caen dolorosamente. Banderas que se alzan, airosas. Lágrimas corriendo candentes y ocultas, como ríos sin pausa. Carcajadas que iluminan rostros, donde la maravilla se abre como una flor sin nombre, desconocedora de su destino.

En las montañas, en las haciendas cafetaleras, sigue el rumbo del viento la copla, amapola trágica, tremoladora de la venganza. Un caballo de ira, color de fuego, marcha desbocado por caminos y veredas, en un nuevo apocalipsis.

LUIS HERNANDEZ AQUINO 1907

(De *La Muerte Anduvo por el Guasio*)

The invasion is like a heavy tombstone that drops over the towns. They are towns unable to defend themselves, caught unaware, which remain stupefied; but the lower classes have applauded, they laugh now and dance to a new beat which makes them happy.

The town of Yauco has fallen. At dawn, the city of Ponce, traditionally Spanish and lordly, also fell. Crazy horse carriages can be seen going from the city to the beach and from the beach to the city, in a morning carnival whose mirth knows no bounds. The town of Juana Díaz fell without a single shot being fired.

Troops, troops made up of strange men, dressed in blue. Trumpets that sink their yellow notes, like stilettos, in the belly of the morning breeze. Flags that painfully collapse. Flags that go up defiantly. Tears running hot and furtive, like rivers without a stop. Guffaws that lighten up faces where the wonder blooms like an unnamed flower, ignorant of its fate.

In the mountains, in the coffee haciendas, the country song, tragic hibiscus, waving the promise of a vengeance, follows the trail of the wind. A horse of wrath, colored like fire, runs wild along paths and trails in a new apocalypse.

LUIS HERNANDEZ AQUINO 1907
(From *Death Roamed the Guasio River*)

En la tenebrosa noche, cuando parece que va a salir la nada
del viento negro, como un caballo de sombra cuajada,
como una prieta vaca
con cabeza de mundo y cola de montaña:
en la tenebrosa noche de vela apagada
y de linternas suicidadas,
cuando por la vastedad de la tiniebla percibo la ancha
cintura del mundo que habita mi patria,
y como nunca siento la rápida
rotación del planeta, la ráfaga
que a los hombres del trópico derrama:
en la terrible noche que ha abolido el Paso del Guajataca,
que ciega la trinchera del Asomante, asomada,
empinada sobre el Mar Caribe, sobre Salinas de tierra aplastada;
en la terrible noche de manos embadurnadas
por Jájome obscurecida y ensombrecida Guayama,
y Lares callada
y ennegrecida Villalba,
y Adjuntas apagada;
en la tenebrosa noche que me prohibe la mirada,
ando buscando yo, poeta, una palabra.

JUAN ANTONIO CORRETJER 1908
(De *Alabanza en la Torre de Ciales*)

In the gloomy night, when the nothingness of the black wind
seems about to spring forth, like a steed of dense overcast,
like a jet-black cow
with the world for a head and for a backside a mountain:
in the gloomy night of spent candle
and lanterns that have killed themselves,
when an account of the vastness of the dark I feel the ample
waist of the world where my country dwells,
and as I never am conscious of the fast
turns of the planet, the gust of wind
that on the men of the tropics it pours:
in the terrible night that has abolished the Pass of Guajataca,
that closes up the trench of Mt. Asomante, leaning out,
zooming over the Caribbean, over the caked ground of Salinas;
in the terrible night of smudged hands
through Jájome bedarkened and dim Guayama,
and Lares silent,
and overshadowed Villalba,
and Adjuntas all lights out;
in the terrible night that curtails my glance,
I, the poet, go searching for an utterance.

JUAN ANTONIO CORRETJER 1908
(From *Praise Atop the Ciales Tower*)

Todos los veranos íbamos a la altura en busca de reposo y de fresco, montados a caballo los mayores y en anchas banastas los chicos, al paso lento de las bestias acostumbradas a repechar por esos caminos barrosos de la montaña, traicioneros y resbaladizos, hasta llegar al corazón de la isla. Era para nosotros una verdadera fiesta, hechos a la llanura de la costa cañera, donde el sol es más fuerte y el calor más aplastante. En la altura sentíamos frío; nos gozábamos en ir a la quebrada a pescar guabinas; corríamos por todas las veredas embriagados de libertad; cogíamos las dalias, las margaritas y los geranios que crecían por doquier sin necesidad de riego; paseábamos bajo las altas guabas que dan su sombra fresca al cafetal; comíamos la parva de bacalao, ñames, yautías, malangas y mafafos hervidos, humedecidas las viandas con aceite de oliva, y bebíamos un coco de café con leche de cabra.

Por la tarde visitábamos a los vecinos y hablábamos con los parientes de la abuela materna, isleños de pura cepa de tierra trasplantados a Puerto Rico de las Canarias en su juventud, laboriosos, parcos en el comer y en el vivir, dueños de fincas de café por muchos años, terratenientes humildes y modestos. Don Cristóbal, don Joaquín, doña Olalla, y sobre todos ellos el austero don Pedro, Tío Pedro, que hablaba poco y amonestaba a los más jóvenes con voz de patriarca: "Dinero y tontería, es lo mismo. Dinero y tontería, la tierra es la verdad."

MARIA TERESA BABIN 1910
(De *Fantasía Boricua*)

Every summer we would go up to the mountains looking for rest and coolness, adults on horseback and children in large side-baskets, carried by the slow beasts accustomed to those terra-cotta colored mountain paths, treacherous and slippery, until we reached the heart of the island. It was really a feast for us, so used to the sugarcane plains of the coast, where the sun is stronger and the heat more suffocating. We felt cold in the mountains; we loved to go to the brook for fresh-water fish; we ran up and down every trail drunk with freedom; we picked dahlias, daisies and geraniums which grew without need of watering; we strolled under the high guava trees which give a cool shade to the coffee groves; we ate the farm laborer's mid-morning snack of codfish, yam, sweet potato, arum and boiled green bananas, the vegetables moistened in olive oil, and we drank coffee with goat milk in coconut shells.

In the afternoon we visited the neighbors and talked to our maternal grandmother's relatives, all islanders and workers of the land transplanted in their youth to Puerto Rico from the Canary Islands, industrious, parsimonious in their eating habits as well as in their living, coffee-farm owners from way back, humble and modest land proprietors. *Don* Cristóbal, *Don* Joaquín, *Doña* Olalla, and ruling over all of them austere *Don* Pedro, Uncle Pedro, who spoke few words and reprimanded the younger ones in a patriarchal tone: "Money and foolishness, it is all the same. Money and foolishness, the land is what counts."

MARIA TERESA BABIN 1910
(From *Puerto Rican Fancy*)

Inés observaba los labios secos, petrificando la sonrisa enigmática, los mismos labios que en tantos años de miseria (y soberbia, y hambre y frases pueriles) jamás abordaron la palabra que hubiese dado sosiego a la eterná incertidumbre, la palabra que hubiese hecho menos infernal su tarea de proteger el orgullo de Hortensia y la invalidez de Emilia, de fingirse loca ante los acreedores, y vender las joyas más valiosas (y la plata), de cargar diariamente el agua del aljibe desde que suspendieron el servicio de acueducto, y aceptar la caridad de los vecinos, y rechazar las ofertas de compra por la casa en ruinas, e impedir que los turistas violaran el recinto en su búsqueda bárbara de miseria (alejando los husmeantes hocicos ajenos de la ruina propia y el dolor).

RENÉ MARQUÉS 1919
(De *Purificación en la Calle del Cristo*)

Inés observed the dry lips, petrified in an enigmatic smile, the same lips that through so many years of misery (and pride, and hunger, and puerile phrases) never formed the one word that would have appeased the eternal uncertainty, the one word that would have lessened her infernal task of protecting Hortensia's pride and Amelia's invalidism, of feigning insanity in front of creditors, of selling the most valuable jewels (and the silver), of carrying water from the cistern every day since their service was suspended, of accepting charity from neighbors, of refusing offers to sell the ruined house, and of preventing the tourists from violating the premises in their barbarous search for misery (driving the strange, prying faces away from her own ruin and sorrow).

RENÉ MARQUÉS 1919
(From *Purification on Cristo Street*,
translated by Charles Pilditch)

13. Luis G. Cajiga

14. Carlos Raquel Rivera

La vejez llega; la existencia es corta.
Si mi destino aborta
y torno a demandar calma y olvido
¿reservarás en tus riberas pías
el sitio que solías
a la altivez estoica del vencido?

No caeré; mas si caigo, entre el estruendo
rodaré bendiciendo
la causa en que fundí mi vida entera;
vuelta siempre la faz a mi pasado
y, como buen soldado,
envuelto en un girón de mi bandera.

LUIS MUÑOZ RIVERA 1859-1916

(De *Paréntesis*)

Old age comes; life runs short.
If my destiny should abort
and I demand forgetfulness and peace,
will you set aside in your pious river shore,
that very spot of yore
for one of stoic pride after defeat?

I shall not fall; but if I do, the battle pressing,
down I shall go blessing
what I took upon me as vital task;
with face dead-set toward my deeds gone by
and, in manner soldier-like,
wrapped in a strip torn from my flag.

LUIS MUÑOZ RIVERA 1859-1916

(From *Parenthesis*)

A LA LENGUA CASTELLANA

Maridaje de luz y de armonía
¡Tú no puedes morir! . . . Tu blando acento
cuando en el labio cristaliza y brota
condensa la poesía
recoge el sentimiento
como recoge el viento
en sus alas intáctiles la nota
que anidó sus purezas de gaviota
en las cuerdas del músico instrumental.

Eres la copia del trinar sonoro
del ave tierna que saluda el alba;
de ese rumor de matutina salva
choque de perlas sobre nimbos de oro.
Eres el corazón cuando enamoras,
cuando a los cantos del amor te aprestas;
eres la misma Religión si oras,
y el verbo de la ira si protestas!

José de Jesús Esteves

TO THE CASTILIAN LANGUAGE

Marriage of light and harmony
you cannot die! Your soft accent
when the lip crystallizes and flows,
condenses poetry,
gathers sentiment,
like the wind is gathered
by the intangible wings of the notes
that nestled their pureness of sea gull
on the chords of the musical instrument!

You are a copy of the resounding quarrier
of that rumor of morning salute
of the tender bird that salutes dawn;
clash of pearls over golden halos.
You are the heart when you enamor,
when you prepare for the songs of love;
you are religion itself if you pray
and the verb of anger if you protest!

JOSÉ DE JESÚS ESTEVES

(Translation by Georgina Pando)

UNICORN ON THE ISLAND

Island of palm grove and guahana,
with belt of bubbling reefs
and corolla of suns.
Island of love and sea enamoured
below the wind.
Blue horses with manes loose,
a naked skin of golden coals,
the torso of the dunes.

Isle of coqui and tortoise
with aphrodisic sash of spray
and diadem of stars.
Isle of marine amours in a love-maddened sea
under full moons,
humid breeze, enchanted cove, and secret wood.
A unicorn in the jungle is aroused,
ready for flight, alert and tense.

TOMÁS BLANCO
(Translation by Patricia Vallés)

15. Lorenzo Homar

16. José R. Oliver

MI BOHÍO

Yo soy rico, muy rico en el momento,
y el temor de ser pobre no me espanta.
Monumental palacio que me encanta
la choza es, en que feliz me siento.

No tiene cielo raso, y su cimiento
de tierra es, cual primitiva planta;
la cúpula, soberbia se levanta
y pintada de azul la arrulla el viento.

No destaca paredes mi palacio;
cada árbol es pirelia en un espacio
con paisajes de sol y de la luna.

Verdes alfombras, floraciones bellas;
no pago al Municipio cuota alguna
y me alumbro de noche con estrellas.

GUILLERMO ATILES GARCÍA

MY SHACK

I am rich, very rich at the moment
and the fear of being poor does not scare me.
Monumental palace that enchants me
is the shack in which I feel so happy.

It hasn't a smooth roof, its foundation
is of earth, like primitive plant;
its dome is erected proudly
painted blue, lullabyed by the wind.

My palace doesn't emphasize walls;
each tree is a pole in a space
with landscapes of sun and of moon.

Green rugs, beautiful flowers;
I do not pay the city any fees
and at night I am lighted by stars!

GUILLERMO ATILES GARCÍA

(Translation by Georgina Pando)

17. Luis Hernández Cruz

18. Domingo García

19. Domingo García

20. Francisco Rodón

UN BLANCO DE AZUCENA

Un blanco
de azucena
se desnudó de pétalos
para ser todo íntimo
en aromas.
Frágil ternura.
Verdad en la presencia.
Encendido en el verde
habitó
tus sentidos
desde una móvil
soledad de rama.
Azucena conforme.
Sin pétalos.
Buscándose en orígenes
de esencia.
Aspiraste el perfume.
Desnuda realidad sin la corola.
Un blanco de azucena
se desvistió de pétalos
e intangible de formas
sueña un vuelo perdido
dormido en sus aromas.

Carmen Puigdollers 1924

A WHITENESS OF LILY

A whiteness
of lily
stripped itself of petals
to become all intimate
in aromas.
Fragile tenderness.
Truth personified.
Incended in green
it inhabited your senses
from a mobile
solitude of boughs.
Lily compliant.
Petal-less.
Seeking herself in origins
of essence.
You breathed the perfume.
Reality in the nude without corolla.
A whiteness of lily
stripped itself of petals
and intangible of forms
fancies a flight lost
asleep in its aromas.

Carmen Puigdollers 1924

(Translated by Patricia Vallés)

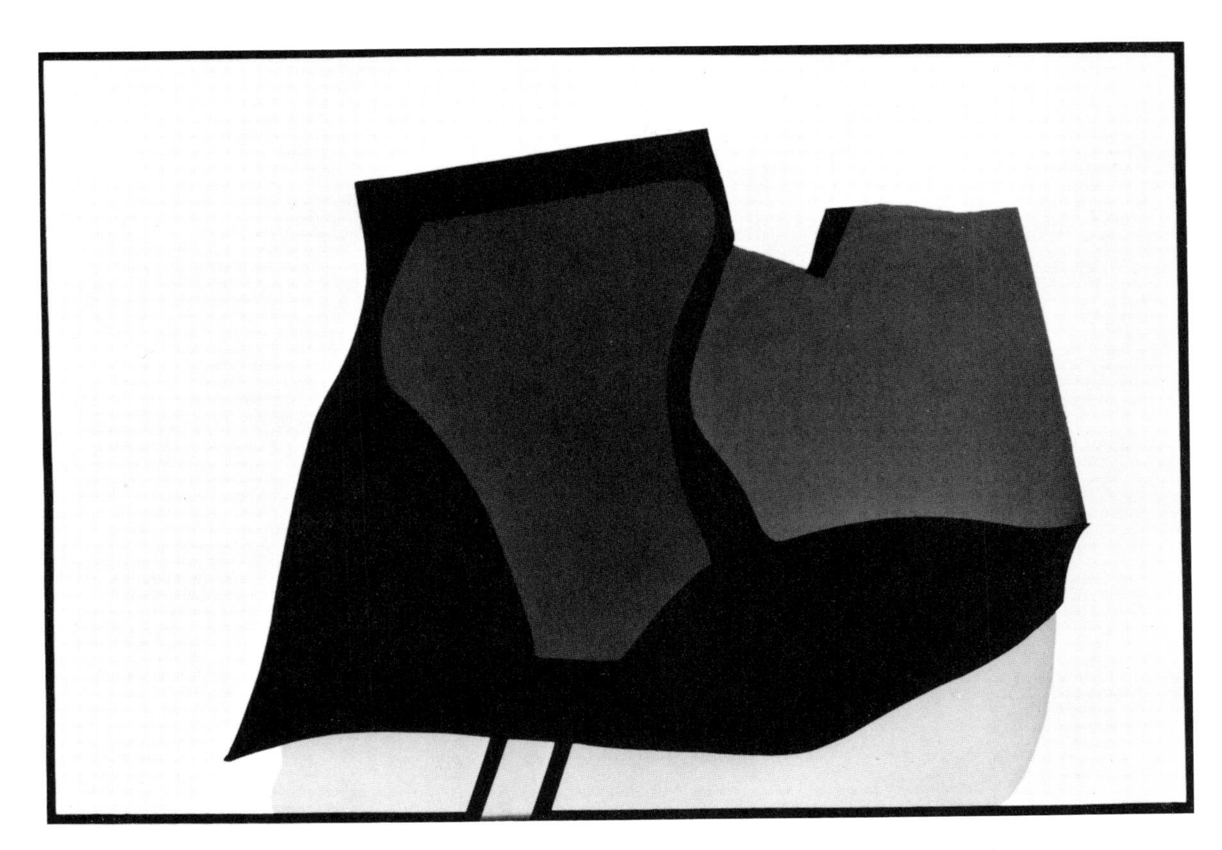

21. Domingo García

22. Félix Rodríguez Baez

Romualda tuvo muchas discusiones con la gente. Su hijo no era ningún idiota, simplemente le había salido músico; que miraran a ver si en todo el pueblo había alguien, fíjense bien, alguien que tuviese la armonía que tenía él. Los mozalbetes le rodeaban con *güiros* y maracas, intentando un ritmo. Bernabé Quirindongo no se dignaba mirarlos y sus ojos, encandilados, miraban por sobre los hombros. Cuando sus dedos golpeaban, ni la vecina Luciana Quiles, ni aun su misma mamá, merecían una mirada suya. Era todo concentración. Todo oídos. Bastaba gritarle una palabra al azar para que todos los cueros dejaran escapar su consonancia junto a los labios murmuradores. ¡Ramón!: rrocotó bembón. Cuando los relámpagos hendían el horizonte sobre los guayabales, permanecía inmóvil, el óido preparado, hasta que le llegaba el sordo rugir del trueno. Sus dedos cobraban entonces vida. Las caras negras corrían bajo la lluvia a oír la maravilla. Borom bom, y sus ojos se extraviaban por un instante mientras el oído mágico registraba la ruidosa cadencia.

—Ese e un negro santo —decía la vecina Luciana Quiles—. Va a morí po los oído.

EMILIO DÍAZ VALCARCEL 1929

(De *Sol Negro*)

Romualda had many arguments with the people. Her son was no idiot, he had simply turned out to be a musician; let them look around all over town for anyone—anyone, mind you!—who could match his harmony. The young boys gathered around him with *güiros* and maracas, trying to pick up a rhythm. Bernabé Quirindongo didn't even look at them—his eyes, glowing, stared over their shoulders. When his fingers were drumming, not even his own mama nor neighbor Luciana Quiles merited a glance. He was complete concentration. All ears. A casually shouted word was enough to set the skins to releasing their harmonies together with the murmuring lips. Ramón! R-roco-*to* bem-*bon*. Whenever lightning tore up the horizon above the guava bushes, he waited motionless, ear ready, until the deafening roar of thunder reached him. His fingers then came to life. The black faces ran through the rain to listen to the miracle. Bo-*roam boam,* and his eyes turned loose for a moment while his magical hearing registered the noisy cadence.

"Thass a black saint," neighbor Luciana Quiles would say. "He gonna die through the ears."

EMILIO DÍAZ VALCARCEL 1929

(From *Black Sun,* translated by
C. Virginia Matters)

23. Tufiño

24. A. Martorell

25. Myrna Baez

26. EPIFANIO IRIZARRY

El hombre de estas tierras mezcla en su sangre criolla lo español y lo africano; la herencia india cuenta poco. Habla un español dulce y relajado, de ritmo cambiante y de timbre alto. Su entonación, más melódica y ondulante que la española, se eleva sobre el tono normal para precipitarse en seguida en inflexiones rápidas y sincopadas. Nuestra música popular tiene la monotonía sensual de todas las músicas tropicales y se parece, en las plenas, al habla puertorriqueña. Somos sentimentales; los sentidos y las emociones nos mandan el espíritu. Nuestra hospitalidad llega a veces hasta la imprudencia. Por desengañados secularmente, nos inclinamos al fatalismo. Nuestro temperamento nervioso y susceptible nos hace indecisos y recelosos. Ostentamos una alegría despreocupada y burlona, que desmiente la callada nostalgia de los ojos. Maduramos pronto como los frutos del trópico y nos apagamos pronto como la orgía de colores de nuestro crepúsculo. En el amor y frente a la muerte seguimos siendo españoles; para el vivir diario tenemos la ternura del negro y la parquedad del castellano.

MARGOT ARCE DE VÁZQUEZ 1904

(De *El Paisaje de Puerto Rico*)

The man from this land has in his creole blood a mixture of Spanish and African elements; the Indian heritage does not count much. He speaks a gentle and relaxed Spanish, of variable rhythm and high-sounding quality. His intonation, more melodic and waving than the Spaniard's, rises above the normal tone in order to roll down at once in fast and syncopated inflexions. Our popular music has the sensual monotony of all tropical music and it sounds similar, in the *plenas,* to Puerto Rican everyday speech. We are sentimental; the senses and the emotions command our spirit. Our hospitality sometimes reaches indiscretion. Having learned empirically through the ages, we lean toward the fatalistic. Our nervous and sensitive temperament makes us undecided and mistrustful. We display a free and bantering mirth which is contradicted by the mute nostalgia in our eyes. We ripen early, as tropical fruits do, and soon turn lifeless, as does the orgy of colors in our twilight. In love and face to face with death we keep acting like Spaniards; we go through everyday life with the Negro's tenderness and the parsimony of the Castilian.

MARGOT ARCE DE VÁZQUEZ 1904

(From *The Puerto Rican Landscape*)

27. MANUEL HERNÁNDEZ ACEVEDO

EN LA BRECHA

¡Ah, desgraciado, si el dolor te abate,
si el cansancio tus miembros entumece,
haz como el árbol seco: reverdece,
y como el germen enterrado: late!

Resurge, alienta, grita, anda, combate,
vibra, ondula, retruena, resplandece....
Haz como el río con la lluvia: ¡crece!
y como el mar contra la roca: ¡bate!

JOSÉ DE DIEGO 1866-1918

OUT IN THE OPEN

Unlucky one, if pain does make you faint,
if fatigue burdens your limbs,
do as the withered tree: burst green,
and like the seed interred: palpitate!

Revive, breathe, cry out, walk, move into battle,
quiver, grow tense, blast out, gleam....
Do as the river under showers: roll big!
and like the sea against the rock: tear away!

JOSÉ DE DIEGO 1866-1918

Brindemos por la nada bien nada de tu alma,
que corre su mentira en un potro sin freno;
como todo lo nada, bien nada, ni siquiera
se asoma de repente en un breve destello.

Si del no ser venimos, y hacia el no ser marchamos,
nada entre nada y nada, cero entre cero y cero,
y si entre nada y nada no puede existir nada,
brindemos por el bello no ser de nuestros cuerpos.

JULIA DE BURGOS 1916-1953

(De *Nada*)

Let us drink to the downright nothing of your soul,
which rides its lie on a steed gone wild;
since all that is true to nothing cannot
however briefly stand to shed some light.

If from the unbeing we come, and to the unbeing we go,
nothing between no and nothing, zero next to naught and emp-
tiness,
and if between no and nothing only fits the very void,
let us drink then to the precious unreality of our flesh.

JULIA DE BURGOS 1916-1953

(From *Nothing*)

28. Lorenzo Homar

Difícil es que nadie pueda permanecer un par de noches en Puerto Rico sin oir la serenata del coquí. En cambio, muchos han nacido en la isla y vivido aquí toda la vida sin lograr verlo nunca. Por otro lado, a quien no lo conozca y le observe por primera vez en pleno día, se le hará imposible imaginar que lo que mira es el pertinaz cantante nocherniego. Tanto así, que yo estoy por creer en la leyenda que contaba mi antigua niñera, Ma Antonia, cariñosa y magnífica negra, de las de pañuelo de Madrás en la cabeza, voluminosa y pierniflaca, y siempre sonreída, limpia, almidonada. Según ella, el coquí debe ser una maravillosa avecita canora, linda como el colibrí, que ha sido encantada; un hechizado pajarito, de carácter mimoso, juguetón y sociable, que ha sido condenado a pasarse las noches solo, completamente aislado en medio de la vida, llamando y llamando y llamando en inútil empeño de lograr compañía; profundamente desolado, pero sin desesperar jamás. Y, si alguien, por fin, tras mucha búsqueda, alcanza a verlo, en ese mismísimo instante se transforma y desfigura de tal modo que no es posible reconocer en él al dueño de la voz que invitaba a buscarlo.

TOMÁS BLANCO 1900

(De *Los Cinco Sentidos*)

Hardly a soul can spend a couple of nights in Puerto Rico without being exposed to the serenade of the *coquí*. Yet, many born in the island have spent their whole lives here without ever being able to catch sight of him. On the other hand, one who has never seen him and first comes across him in full daylight will never imagine that he is looking at the persistent night singer. This being so, I am about to believe the legend told me by my nurse of yesteryears, Ma Antonia, a tender and wonderful Negress who wore a Madras kerchief around her head, bulky and skinny-legged, always smiling, clean, starchy-clothed. According to her, the *coquí* must be a marvelous little singing bird, as beautiful as the hummingbird, who has become enchanted; a bewitched little bird, of an endearing nature, playful and sociable, who has been condemned to spend the night alone, completely isolated in the midst of life, calling and calling and calling for company with nary an answer; deeply desolate, but never in despair. And if finally anyone, after a long search, should catch sight of him, in that very instant he will change so and become so disfigured that it shall be impossible to recognize him as the owner of the voice that invited the search.

TOMÁS BLANCO 1900

(From *The Five Senses*)

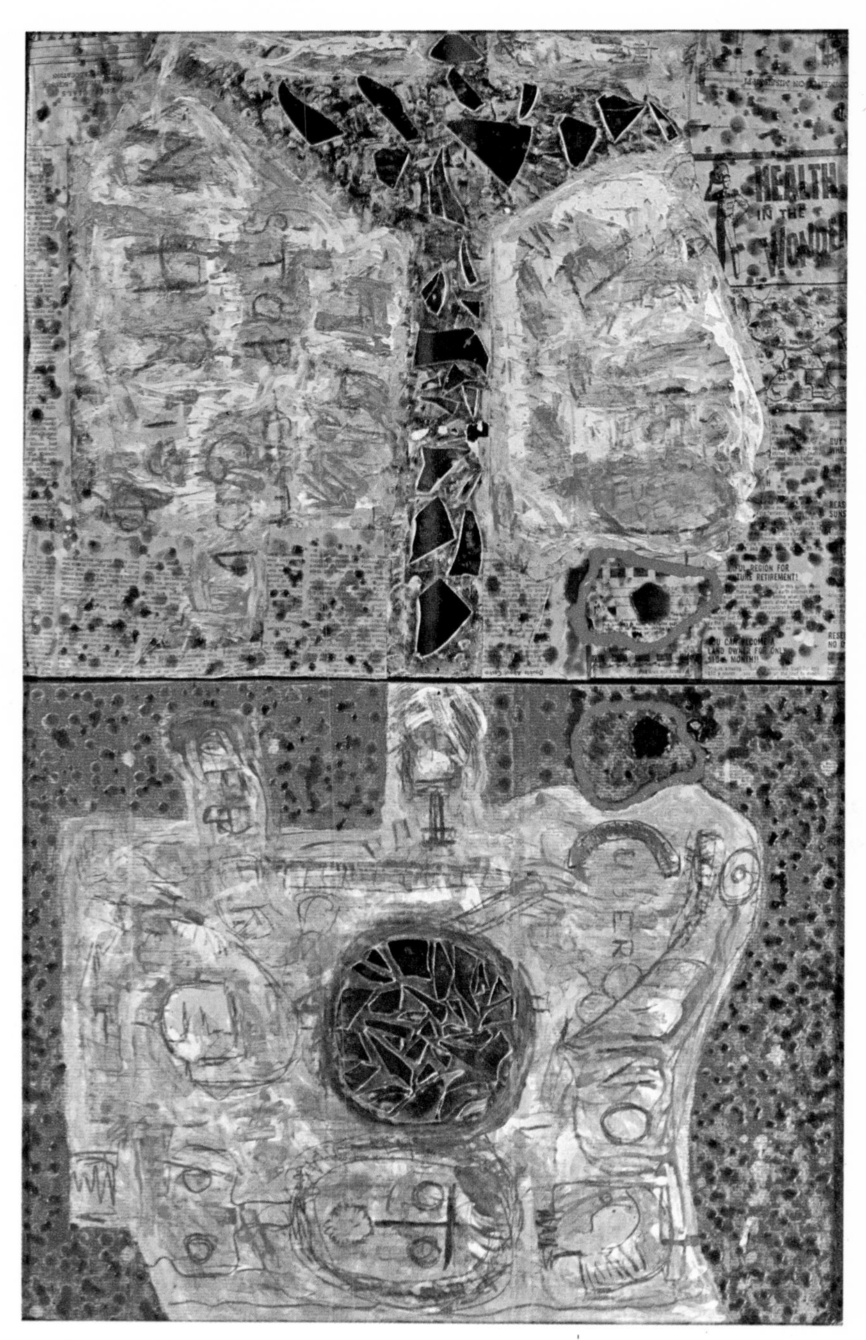

29. Rafael Ferrer

30. Luis Hernández Cruz

31. Julio Rosado Del Valle

32. Augusto Marín

33. Manuel Hernández Acevedo

—Déjame quieto, mujer . . .

—¡Sí, siempre eh lo mihmo: déjame quieto! Mañana eh Crihmah y esoh muchachoh se van a quedal sin jugueteh.

—El día de Reyeh en enero . . .

—A Niu Yol no vienen loh Reyeh. ¡A Niu Yol viene Santa Cloh!

—Bueno, cuando venga el que sea, ya veremoh.

—¡Ave María Purísima, qué padre, Dioh mío! ¡No te preocupan na máh que tuh garabatoh! ¡El altihta! ¡Un hombre viejo como tú!

Se levantó de la mesa y fue al dormitorio, hastiado de oir a la mujer. Miró por la única ventana. Toda la nieve caída tres días antes estaba sucia. Los automóviles habían aplastado y ennegrecido la del asfalto. La de las aceras había sido hollada y orinada por hombres y perros. Los días eran más fríos ahora porque la nieve estaba allí, hostilmente presente, envilecida, acomodada en la miseria. Desprovista de toda la inocencia que trajo el primer día.

Era una calle lóbrega, bajo un aire pesado, en un día grandiosamente opaco.

PEDRO JUAN SOTO 1928
(De *Garabatos*)

"Leave me alone, woman . . .

"Yeah, always the same: leave me alone! Tomorrow is Christmas and those kids are going to go without toys."

"Three Kings Day's in January . . ."

"The Kings don't come to New York. Santa Claus comes to New York!"

"Well, when whoever it is that comes gets here, we'll see about that."

"*Ave María Purísima,* what a father, my God! Nothing worries you except your scribblings! The artist! A grown man like you!"

He got up from the table and went to the bedroom, tired of listening to the woman. He looked out the only window. All the snow that had fallen three days ago was dirty. Cars had crushed and blackened that which was left on the asphalt. What was on the sidewalks was tracked over and urinated upon by men and dogs. The days were colder now, for the snow was there, hostilely present, vilified, at home in the misery. Divested of all the innocence it brought the first day.

It was a depressing street, under a heavy air, on a grandiosely opaque day.

PEDRO JUAN SOTO 1928
(From *Scribblings,* translated by Charles Connelly)

List of Plates

1. Lorenzo Homar, "Acróbata Marroqui/Morrocan Acrobat," 22 x 26½, media: linoleo/linocut.
2. Manuel Hernández Acevedo, "Calle de San Juan/Street in San Juan," 28½ x 50½, media: oleo/oil.
3. José Campeche Y Jordán, "Gobernador de Ustariz/Governor of Ustariz," 17 x 24, medio: oleo/oil. (Courtesy Instituto de Cultura Puertorriqueño)
4. Francisco Oller, "Paisaje Francés II/French Landscape II," 29 x 36½, media: oleo/oil. (Courtesy Instituto de Cultura Puerto-rriqueño)
5. Manuel Hernández Acevedo, "Plaza de San José/San Jose Square," 31 x 33¼, media: serigrafia/serigraph.
6. Carlos Osorio, "Cabeza/Head," 23 x 28¼, media: acuarfla-water-color.
7. Rafael Tufiño, "Arrullo/Lullaby," 25½ x 31¼, media: xilografia/woodcut.
8. Myrna Baez, "Piraguero/Piraguero," 20¾ x 24, media: linoleo/lino-cut.
9. Rafael Tufiño, "Mujer y Nino/Woman and Child," 27¼ x 38¼, media: xilografia/woodcut.
10. Rafael Ferrer, "Ahora/Now," 27 x 33, media: collage/collage.
11. Antonio Martorell, "El Velorio The Wake," 21½ x 23¼, media: xilo-grafia/woodcut.
12. Myrna Baez, "La Estrella/The Ferris Wheel," 19¼ x 29½, media: xilografia/woodcut.
13. Luis G. Cajiga, "Quebradillas/Quebradillas," 31½ x 40½, media: oleo/oil. (Courtesy Instituto de Cultura Puertorriqueño)
14. Carlos Raquel Rivera, "Paroxismo/Paroxysm," 29½ x 37½, media: oleo/oil. (Courtesy Instituto de Cultura Puertorriqueño)
15. Lorenzo Homar, "Unicornio/Unicorn," 58¼ x 30¾, media: xilo-grafia/woodcut.
16. José R. Oliver, "Arcos y Rampa del Morro/Arches and Ramp in El Morro," 35 x 42¾, media: oleo/oil.
17. Luis Hernández Cruz, "Muro #1/Wall #1," 42 x 52¼, media: oleo/oil.
18. Domingo García, "Paisaje/Landscape," 23 x 30¾, media: serigrafia/serigraph.

19. Domingo García, "Objeto de Esfera/Object in Sphere" 24″ in diameter, media: oleo/oil.
20. Francisco Rodón, "La Muerte de Ines/The Death of Inez," 47¼ x 55¾, media: oleo/oil. (Courtesy Lcdo. Victor Rodón)
21. Domingo García, "Edificación/Edification (Construction)," 23¾ x 31¾, media: serigrafia/serigraph.
22. Félix Rodríguez Baez, "El Hoyo #2/The Hole #2," 30½ x 50½, media: oleo/oil.
23. Rafael Tufiño, "Jazz/Jazz," 21 x 38¾, media: xilografia/woodcut.
24. Antonio Martorell, "Viejo en la Plaza/Old Man in the Square," 19¾ x 23, media: xilografia/woodcut.
25. Myrna Baez, "En la Machina/On the Carousel," 35 x 45, media: acrilico/acrilic.
26. Epifanio Irizarry, "Baile de Bomas/Bomba Dance," 41 x 53¼, media: oleo/oil. (Courtesy Lcdo. Victor Rodón)
27. Manuel Hernández Acevedo, "Esquina de la Plaza/Corner of the Square," 19 x 17, media: serigrafia/serigraph.
28. Lorenzo Homar, "El Sapo/The Frog," 22 x 26½, media: linoleo/linocut.
29. Rafael Ferrer, "Choque/Crash," 24½ x 36¼, media: collage/collage.
30. Luis Hernández Cruz, "Collage #2/Collage #2," 28½ x 34¼, media: collage/collage.
31. Juan Rosado Del Valle, "Cabeza de San Juan/Head of St. John," 49 x 50, media: oleo/oil. (Courtesy Lcdo. Marcos Ramírez)
32. Augusto Marín, "Armonía Campestre/Peasant Harmony," 41½ x 50½, media: acrilico/acrilic.
33. Manuel Hernández Acevedo, "Catedral/Cathedral," 21¾ x 31, media: oleo/oil.